—¿Te aburres? ¿Y si nos inventamos un cuento?
Un cuento de animales. Los animales son divertidos.
Hasta las ostras. Y las marmotas, las marmotas son
interesantísimas. Y las ovejas. Todos los animales
son interesantes. Yo sé muchas cosas de animales.
¿Quieres que te cuente cosas de animales?

—¡Ay, un cuento de animales! ¡Sí! Un cuento de miedo, ¡me encantan! Venga, empiezo yo. *Érase una vez un lobo terrible y feroz...*

—Eh... Un momento. Los lobos son lobos. O se pueden tener un mal día, como cualquiera, pero en general no son terribles ni feroces

—¿Cómo que no? ¿Y el lobo que se comió a Caperucita?
¿Y el que les destrozó sus casas a los tres cerditos?
¿Y el que se zampó a los siete cabritillos?
¡No dirás que no eran terribles y feroces!

SI LAS PERSONAS NO LOS MATAN ANTES, LOS LOBOS
PUEDEN VIVIR HASTA TRECE AÑOS EN LIBERTAD.

—Pero en muchas versiones del cuento de Caperucita al final la salvan y el lobo termina muerto. Y en el de los tres cerditos acaba en la olla. Y en el de los siete cabritillos, en el río. ¡Pobres lobos, al final, quienes acaban siendo terribles y feroces son las personas con los lobos!

EN MUCHOS LUGARES DEL MUNDO, LOS LOBOS ESTÁN EN PELIGRO DE EXTINCIÓN. OCUPAMOS SUS TERRITORIOS Y DURANTE MUCHO TIEMPO LOS ESTUVIMOS CAZANDO INDISCRIMINADAMENTE. ¡POBRES LOBOS!

—Bueno, como decía, érase una vez un lobo no tan terrible ni tan feroz que...

—¿Solo uno? Es muy raro que vayan solos. ¿Y por qué no una loba? Las lobas no salen nunca en los cuentos, y en las manadas hay de todo.

—¿Manadas?

—Eh... Pufff... Estooo... Érase una vez una loba
que estaba tranquilamente con su manada
sin molestar a nadie y...

—Y los humanos que tenía alrededor la respetaban
a ella y a su manada y la dejaban vivir en paz.
Ay, ¡qué cuento más bonito!

—Van en manadas porque sobrevivir solos les sería muy difícil. Y tanto los lobos como las lobas hacen lo mismo: cazar, defender su territorio, cuidar a los lobeznos...

EN UNA MANADA PUEDE HABER ENTRE DOS Y TREINTA LOBOS.

—**Ese cuento es muy aburrido.**
Vamos a inventarnos uno de tiburones.
Érase una vez un tiburón asesino que...

—Qué obsesión con la violencia, ¿no?
¿Sabes que hay muchos tipos de tiburones?
El tiburón duende, por ejemplo, es de color rosa
y tiene una especie de nariz muy divertida; el tiburó
víbora parece que se esté riendo, y el tiburón baller
es el pez más grande del mundo.

tiburón leopardo

tiburón tigre

tiburón limón

—Ah, ¿un tiburón ballena? ¡Me encanta!
Pues érase una vez un tiburón ballena
que vio a tres surfistas y...

tiburón duende

tiburón martillo

tiburón ballena

tiburón víbora

tiburón azotador

tiburón sierra japonés

—Vale, no era un tiburón ballena. Era un tiburón blanco. Los tiburones blancos sí que atacan a las personas, que me he informado del tema.

A PESAR DE QUE LAS ESPECIES DE TIBURONES MÁS GRANDES PUEDEN COMER FOCAS Y LOBOS MARINOS, LA MAYORÍA SE ALIMENTA DE PECES MÁS PEQUEÑOS Y ALGUNOS COMEN PLANCTON, COMO EL TIBURÓN BALLENA.

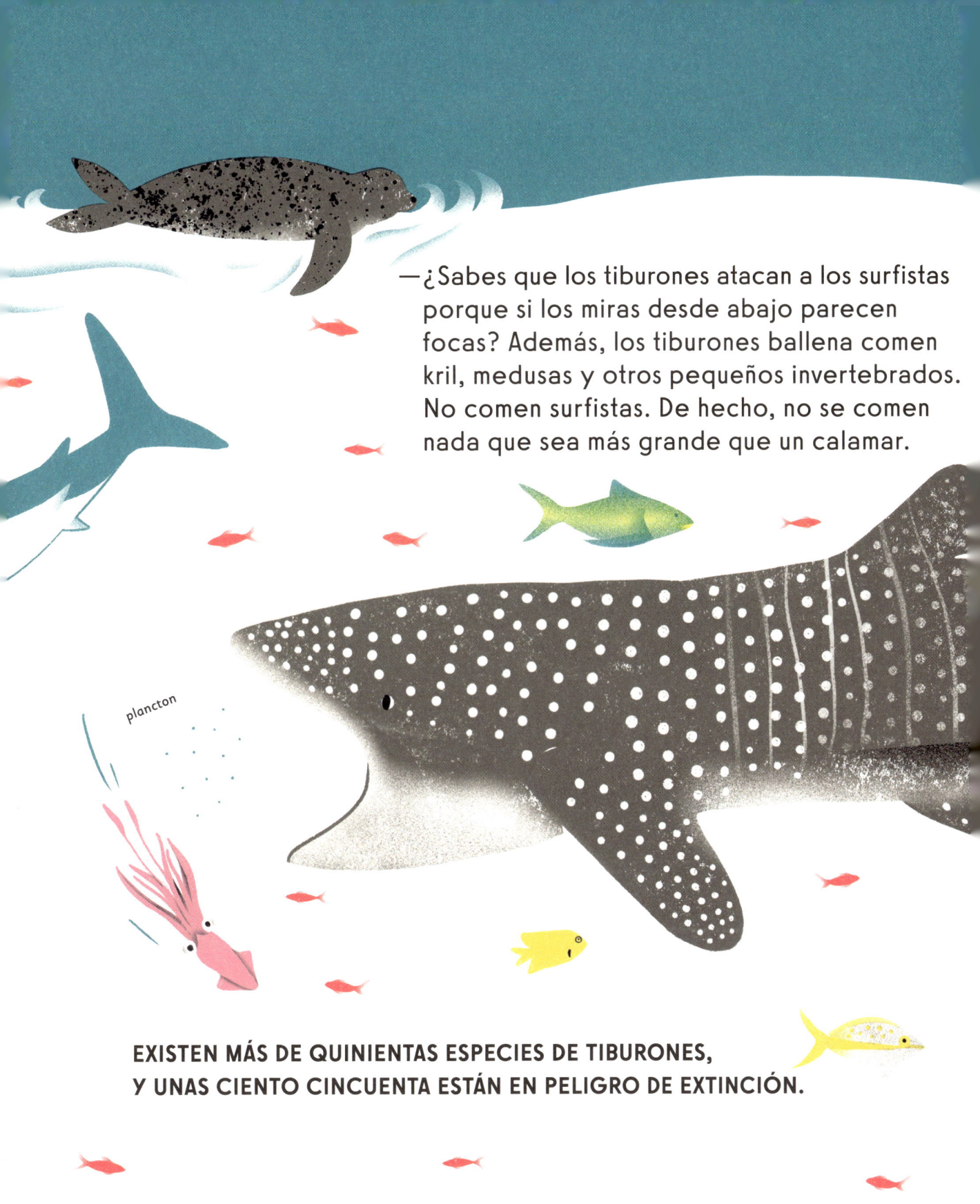

—¿Sabes que los tiburones atacan a los surfistas porque si los miras desde abajo parecen focas? Además, los tiburones ballena comen kril, medusas y otros pequeños invertebrados. No comen surfistas. De hecho, no se comen nada que sea más grande que un calamar.

plancton

EXISTEN MÁS DE QUINIENTAS ESPECIES DE TIBURONES, Y UNAS CIENTO CINCUENTA ESTÁN EN PELIGRO DE EXTINCIÓN.

—Era un tiburón blanco con unos dientes súper afilados y...

—¿Sabes que los tiburones blancos pueden tener tres mil dientes? ¿Te lo imaginas? Podríamos inventarnos un cuento sobre un tiburón blanco que cada vez que se le cae un diente lo pone debajo de la almohada y por la mañana encuentra un regalito y...

—Zzz... Ni soñarlo, vaya historia más cursi.

LOS TIBURONES TIENEN VARIAS FILAS DE DIENTES
Y LOS VAN CAMBIANDO A LO LARGO DE SU VIDA.

LOS TIBURONES BLANCOS PUEDEN LLEGAR
A CAMBIAR VEINTE MIL DIENTES.

—Olvídate de los tiburones. Que sea una araña.
Una araña gigante que vivía en un castillo...
Qué, ¿ahora dirás que las arañas no viven en castillos?

—En realidad sí, pueden vivir en castillos.
Pueden vivir donde quieran. Hay arañas
en todos los continentes, excepto en
la Antártida. Es uno de los pocos animales
que ha conquistado todos los rincones
del mundo, ¡hasta los más apestosos!

—¡Por fin! Pues esto era una araña que vivía en un castillo y desde su telaraña espiaba la puerta esperando a que entrase alguien despistado para echársele encima e inyectarle su veneno mortal y...

—Como te gusta el drama, ¿eh?
En el caso improbabilísimo de que te
picase una araña venenosa, ¡no te comería!
Tiene un estómago demasiado pequeño
para un bicho tan grande como una persona!

—¡Qué tontería! ¡Las arañas no atacan a las personas si no es para protegerse! Y la mayoría no inyectan veneno mortal, ¡solo te saldría un sarpullido!

araña de embudo

viuda negra

araña lobo

araña de saco amarillo

DE LAS CUARENTA Y SEIS MIL ESPECIES DE ARAÑAS QUE EXISTEN EN EL PLANETA, SOLO TREINTA CUENTAN CON UN VENENO LO SUFICIENTEMENTE POTENTE COMO PARA SER PELIGROSO PARA LAS PERSONAS. ESO ES EL 0,06%; ¡MÁS QUE ANECDÓTICO!

—Vale, pues era una araña que vivía en un castillo comiendo insectos y, por supuesto, aburriéndose como una ostra, porque ya me dirás tú, todo el día ahí esperando que alguien caiga en su telaraña...

—¿Sabes que las arañas de la familia de los deinópidos, en vez de esperar a que la presa caiga en su red, de hecho le lanzan la red encima?

—¡Oh! ¡Me encanta esa idea!
Pues era una araña deinópida
que estaba en alerta detrás de
una puerta del castillo y entonces
entró un tierno pajarillo por la
ventana y...

—¿Pero y las tarántulas, eh?
¡Ahora no me dirás que los
gorriones comen tarántulas!

—No, comen arañas más pequeñas. Pero
la mayoría de tarántulas no son peligrosas.
De hecho, el baile de la tarantela está
inspirado en la leyenda urbana del siglo XVI
que decía que si te picaba tenías que bailar
enérgicamente para salvarte, pero se lo
inventarían para divertirse.

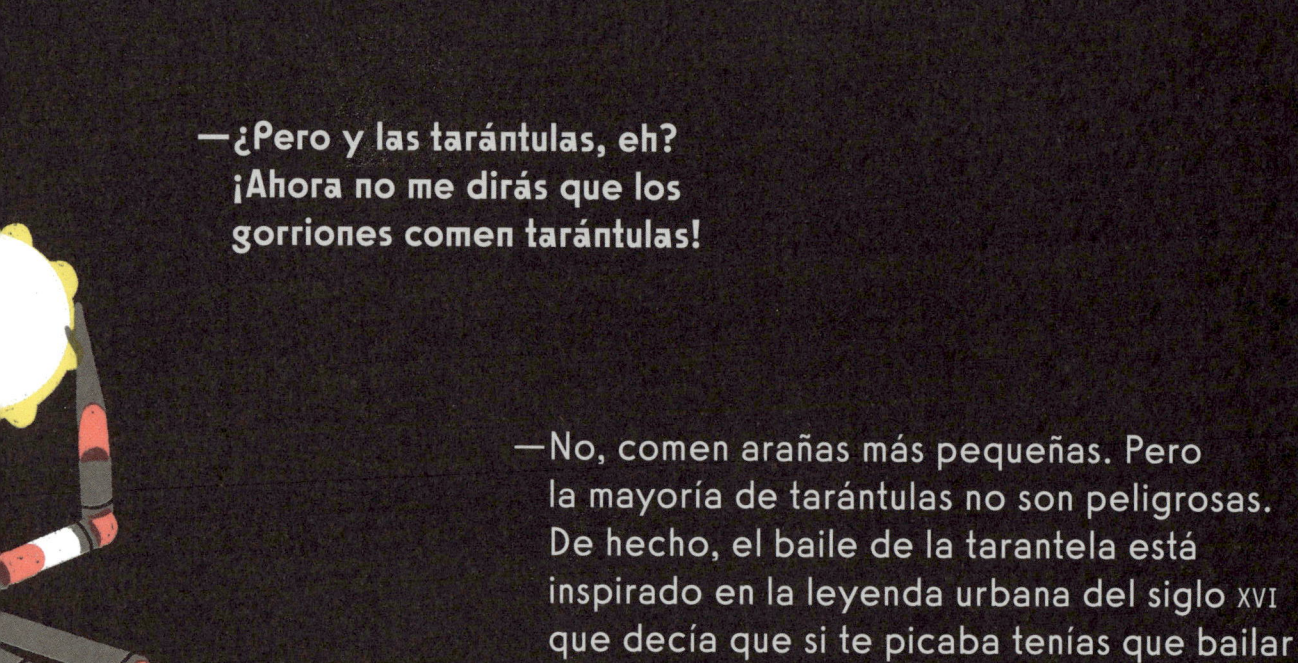

—Y se la comió, porque los pájaros
son grandes depredadores de arañas.

ALGUNOS DE LOS DEPREDADORES
DE LAS ARAÑAS SON AVES DE PINTA
TAN INOCENTE COMO EL GORRIÓN,
LA GOLONDRINA O LAS GALLINAS.

—Mira, vamos a dejar a las arañas. El cuento irá de cocodrilos. Los cocodrilos sí que son peligrosísimos, no me digas que no.

—A ver... Es mejor no acercase mucho, eso es cierto. Pero en general prefieren comer mamíferos pequeños, crustáceos, ranas, insectos, peces... ¡Incluso fruta!

—¿Pero sabes que todos los años mueren cerca de mil
personas devoradas por cocodrilos? ¡Ajá! ¡Te he pillado!
Te creías que solo tenías datos tú, ¿verdad?

—Sí, si ya te he dicho que mejor no acercase...

—Pues esto era un cocodrilo que salió corriendo del río para perseguir a un explorador... No, espera, ¡que sea una exploradora!

—¿Sabías que los cocodrilos se cansan muy rápido, fuera del agua? De hecho, solo salen a tomar el sol y a poner sus huevos.

—Pero a nivel mundial, el animal más mortal para las personas es el mosquito, que contagia la malaria y causa un millón de muertos al año. ¡Son mil veces más mortales que los cocodrilos!

ALGUNOS ANIMALES COMO LOS MOSQUITOS O LOS PERROS, QUE NO TIENEN MALA FAMA, PUEDEN SER PELIGROSOS EN ALGUNAS SITUACIONES. LO MEJOR, CON CUALQUIER ANIMAL, ES TOMAR LAS PRECAUCIONES ADECUADAS PARA NUESTRA SEGURIDAD.

—Sigamos. Pues era una exploradora que estaba investigando cerca del río y, de repente, se encontró con decenas de cocodrilos al sol con la boca abierta, ¡esperando para zampársela a la que se acercase!

—Los cocodrilos no toman el sol con la boca abierta porque se quieran zampar a nadie, sino porque es su forma de regular la temperatura. No sudan por la piel, y así con la boca abierta se refrescan.

—Lo que sí es cierto es que los cocodrilos
tienen muchísima fuerza para cerrar la boca,
¡pero no tanta para abrirla!

—¡Es verdad! De hecho, si tienen la boca cerrada,
se la puedes aguantar con las manos. Pero lo más
recomendable sería observarlos de lejos.

—¿Y si te caes al agua y hay un montón de cocodrilos hambrientos y no te puedes defender?

—Eso es como preguntar: «¿Y si abres la boca porque estás cantando una canción y se te mete una mosca?». Seguramente intentaré escupirla, solo me la comeré si no me queda otra. Pues los cocodrilos con las personas, lo mismo que yo con las moscas.

LOS COCODRILOS PUEDEN CERRAR LA BOCA CON MÁS FUERZA QUE UN TIBURÓN BLANCO, PERO LES CUESTA MÁS ABRIRLA. POR ESO SE TRAGAN A SUS PRESAS (O LOS TROZOS DE LAS PRESAS QUE MUERDEN) ENTERAS.

—Mira, ya me he hartado. ¿Sabes qué?
Cuenta tú el cuento. Escoge el animal
que te dé más miedo, porque así
no hay manera de contar
un cuento de miedo.

—Uh... Un cuento de miedo...
Vale. Pues *era un caballo...*

—¡¿Un caballo?! ¡Pero si los caballos son adorables!

—¿Los caballos, adorables? ¡Si dan mucho miedo! ¡Tienen los ojos más grandes de todos los mamíferos! ¡Imagínate un caballo mirándote fíjamente!

—Además, ¡los dientes les ocupan más sitio que el cerebro! ¡Eso son unos dientes gigantes! O sea, ¿no te da miedo un animal que tiene más dientes que cerebro?

—¡Pero no hacen nada! ¡Yo a veces les he dado zanahorias a los caballos y no me han mordido! ¡Son monísimos!

LOS CABALLOS TIENEN UN OJO A CADA LADO DE LA CABEZA Y ESO LES DA UNA VISIÓN DE 360°.

—¡Y pueden dormir de pie! ¿Qué tipo de animal adorable duerme de pie? ¿Eh? ¿Eh?

—¡Seguro que duermen de pie para huir si vienen personas que los quieren capturar!

—Y, además, producen casi cuarenta litros de saliva al día. Si no te muerden, ¡te pueden duchar en sus babas! ¡Es asqueroso!

—La saliva es para ayudarles a comer toda la hierba que se comen. ¡Los caballos son herbívoros, a las personas no nos hacen nada!

—Además tienen buena memoria, pelo suave, crin...
Son básicamente unicornios sin cuerno.
¡Y los hay de muchos colores!

—Eh... Si me lo pones así... Quizá sí que es mejor
no darles mala fama.

LOS CABALLOS SALVAJES DEDICAN VEINTE HORAS AL DÍA
A COMER HIERBA. EN CAUTIVIDAD, UN CABALLO TENDRÍA
QUE COMER ENTRE 12 Y 15 KILOS DE HENO; 4 O 5 KILOS
DE PIENSO CONCENTRADO; 2 O 3 KILOS DE HIERBA
JUGOSA Y 1 O 2 KILOS DE SALVADO.

—Pues venga, con un perro
y con un gato, ya hemos
pasado el rato...

—¡Oh! ¿Cuentos de cachorritos y mininos?
¡Me encantan! ¡Mucho mejor que los
de miedo! ¡Vamos a contar otro!